André BELLECOURT F

AERONAUTICS
(HQ : Chicago)

Rudi GESSNER CH

BANKS
(HQ : Luxemburg)

CONSOLIDATED OPERATING STATEMENTS

in US$ mill.

Revenues	51,854.8
Operating Costs*	43,529.2
Operating Margin	8,325.6
Overhead	5,625.9
Int. & Fin. Charges	736.6
Net Earnings**	1,963.1

* including depreciation
** before income taxes

Cathy BLACKMAN US

WINCH FOUNDATION
(HQ : New York)

Largo WINCH US

EXECUTIVE MANAGEMENT
(HQ : New York)

OIL
(HQ : Caracas)

E. JARAMALE MEX

MINING &
METALLURGY
(HQ : Stockholm)

Leonard SCOTT SA

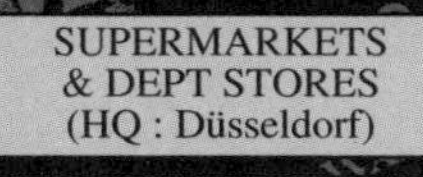

SUPERMARKETS
& DEPT STORES
(HQ : Düsseldorf)

eorg WALLENSTEIN FRG

IDATED BALANCE SHEETS

in US$ mill.

ASSETS

s	14,553.2
ivalent	789.5
s	6,658.1
Inventories	7,506.5
Goodwill	248.0
Other	151.7
	29,907.0

LIABILITIES

Accounts Payable	3,790.3
Short Term Debt	2,934.4
Long Term Debt	3,853.9
Provision	700.0
Minority Interest	832.0
Equity - Capital Stock	4,212.0
- Retained Earnings	13,584.4
	29,907.0

VOIR VENISE...

PHILIPPE FRANCQ • JEAN VAN HAMME

Les scénarios de la série *Largo Winch*
sont librement adaptés des romans du même auteur
publiés aux Editions du Mercure de France.

Content de peu n'a rien à craindre.
Lao Tseu

Dépôt légal : septembre 1998 — D.1998/0089/237
ISBN 2-8001-2628-0 — ISSN 0777-1843

Imprimé en Belgique par Proost/Fleurus.

Vous avez bien compris toutes les données ?
Oui. C'est impossible. Personne n'a jamais réussi un truc comme ça.

Vous, vous pouvez y arriver, M. Haynes. Dans votre spécialité, vous êtes le numéro 1.
Qu'est-ce qui vous fait dire ça ?

Le simple fait que vous soyez en vie. Vous avez exercé pendant plus de trente ans le métier le plus dangereux du monde et vous êtes toujours vivant. C'est la meilleure des références.
Pour qui travaillez-vous, M... Brown ?

La CIA ? Les Russes ? Les Iraniens ?
Il ne s'agit pas de politique, M. Haynes, mais d'une affaire privée. Pour 500.000 livres Sterling, vous ne vous soucierez pas de savoir **qui** vous emploie.

500.000 livres ?
C'est ce que vous toucherez à la fin de l'opération. Dont 100.000 livres d'avance dès que vous commencerez les essais. À combien se monte votre retraite du Royal Pioneer Corps, M. Haynes ?

Ça ne vous regarde pas, M. Brown !
À 10 678 livres par an, impôts et taxes déduites. C'est peu pour un homme qui a tant de fois risqué sa vie au service de Sa Majesté, vous ne trouvez pas ? Avec ce que je vous offre, vous découvrirez enfin les joies du confort que vous méritez.

Vous ne vous appelez pas Brown, bien entendu.
Quelle importance cela a-t-il ?
Aucune. Pourquoi moi ?

Je vous l'ai dit : parce que vous êtes le meilleur. Et aussi parce que vous êtes un excellent comédien. Je vous ai vu jouer l'autre soir avec votre troupe de théâtre amateur dans un rôle de prêtre, vous étiez étonnant de vérité.
D'accord, Brown. Votre combine est forcément malhonnête, mais je marche. De combien de temps vais-je disposer pour les essais ?
1

Du temps nécessaire. L'opération doit avoir lieu en septembre prochain.

VENISE, DIMANCHE 13 SEPTEMBRE, 3 HEURES DU MATIN.

CAMPIELLO DE LA CASO

LÀ !
THUD
THUD

!!

SHIT! OÙ EST PASSÉ CE FOUTU RITAL ?

LE VOILÀ !!

THUD
THUD
THUD
THUD
FLOTCH
FLOTCH

AAHHH

TU LE VOIS ?
NON, IL A DÛ COULER.
NE PRENONS PAS DE RISQUES. VOUS DEUX, PRENEZ LE PONT DU RIALTO. NOUS, ON PASSE PAR LE PONT DELL' ACADEMIA.

LA DEUXIÈME RUE À GAUCHE ... L'ALBERGO SAN GIORGIO... SI JE POUVAIS...

TRATTORIA AI LEONCINI
AGENZIA V
CHANGE
RISTORANTE
ALBERGO SAN GIORGIO
!?!

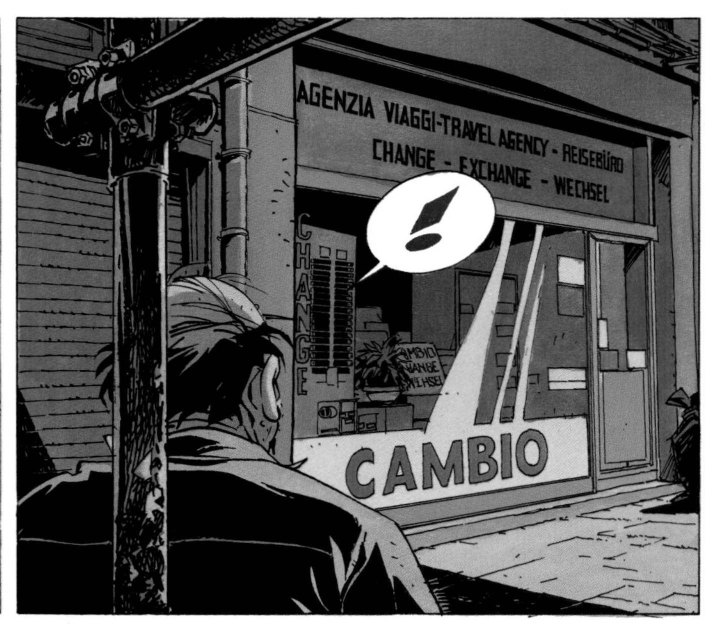
AGENZIA VIAGGI-TRAVEL AGENCY - REISEBÜRO
CHANGE - EXCHANGE - WECHSEL
!
CHANGE
CAMBIO

DIX SECONDES... J'AI DIX SECONDES ...

IL EST LÀ, CE FICHU SALOPARD!
FLINGUEZ-LE, NOM DE DIEU!

THUD
THUD
THUD
THUD
THUD
THUD
THUD

CETTE FOIS, IL A SON COMPTE.
FILONS EN VITESSE. AVEC CETTE MAUDITE ALARME, LE COIN VA GROUILLER DE FLICS DANS DEUX MINUTES.
LE FAX ! REGARDEZ LE FAX !

NOM DE...! CE FUMIER A ENVOYÉ UN FAX !!
J'Y VAIS !

TROP TARD ...

BZZZZ
KRAK

DOUBLE SHIT ! FAUDRA MONTRER ÇA AU PATRON. ON VA SE FAIRE INCENDIER LES GARS !
GROUILLE, BORDEL ! LES FLICS !

PARIS, DIMANCHE 13 SEPTEMBRE, 11 HEURES.
J - 475
AVANT L'AN 2000
VENISE EST PLUS CALME EN SEPTEMBRE.

C'EST LA MEILLEURE SAISON POUR Y ALLER. POURQUOI NE VIENS-TU PAS AVEC MOI, LARGO ?
JE TE L'AI DÉJÀ DIT, CHARITY : JE DOIS ÊTRE À NEW YORK DEMAIN MIDI.

UNE IMPORTANTE RÉUNION CONCERNANT LA DIVISION PÉTROLIÈRE DU GROUPE.
UNE IMPORTANTE RÉUNION !...

POURQUOI T'ÊTRE MIS CE MAUDIT GROUPE SUR LE DOS, LARGO ? TU ÉTAIS LIBRE, AVANT. TU VOYAGEAIS À TA GUISE, QUAND ET COMME TU LE VOULAIS. TANDIS QU'À PRÉSENT, TE VOILÀ DEVENU UN PETIT VIEUX DE MÊME PAS TRENTE ANS, ÉCRASÉ PAR SES MILLIARDS, SES RESPONSABILITÉS ET LE POIDS DE SON IMPORTANCE.

MERCI POUR LE PETIT VIEUX.
JE ME TROMPE ?
CE N'EST PAS SI SIMPLE DE RÉPONDRE À TA QUESTION, CHARITY.
Vedettes du Pont Neuf
Parisis

L'ARGENT N'Y EST POUR RIEN, MÊME SI J'EN PROFITE. JE SUPPOSE QUE C'EST LE GOÛT DU DÉFI : COMPRENDRE ET MAÎTRISER LES GIGANTESQUES MÉCANISMES QUI ARTICULENT UN TRUST TEL QUE LE GROUPE W.
TON DÉFI RESSEMBLE FICHTREMENT À UN PIÈGE, MON CHÉRI. UN PIÈGE QUI S'EST REFERMÉ SUR TOI. CLAP, À LA NICHE, LE BEL AVENTURIER !

ENFIN, SI TU CHANGES D'AVIS, VOICI LE Nº DE TÉLÉPHONE DE L'AMIE CHEZ QUI JE LOGERAI. DOMENICA LEONE, ELLE EST SCULPTEUR. NOUS ÉTIONS EN PENSION ENSEMBLE À LAUSANNE.

TU SAIS, IL Y A PEU DE CHANCES QUE...

BATEAUX

TAIS-TOI. EN ATTENDANT QUE LE BEAU MILLIARDAIRE S'ENVOLE VERS SON TRISTE DESTIN, NOUS AURIONS PEUT-ÊTRE LE TEMPS DE REPASSER PAR L'HÔTEL, MMH ?...

JACOPO ? C'EST VITALE. ELLE LOGERA CHEZ UNE CERTAINE DOMENICA LEONE, UNE FEMME SCULPTEUR. NON, JE NE CONNAIS PAS L'ADRESSE, MAIS ELLE NE DOIT PAS ÊTRE DIFFICILE À TROUVER...

VENISE, DIMANCHE 13 SEPTEMBRE, 15 H 30.
ENCORE MERCI POUR CET EXCELLENT DÉJEUNER, CHER AMI.
C'EST MOI QUI VOUS REMERCIE, PRÉSIDENT. VOUS VOIR À MA TABLE EST TOUJOURS UN PLAISIR ET UN HONNEUR.

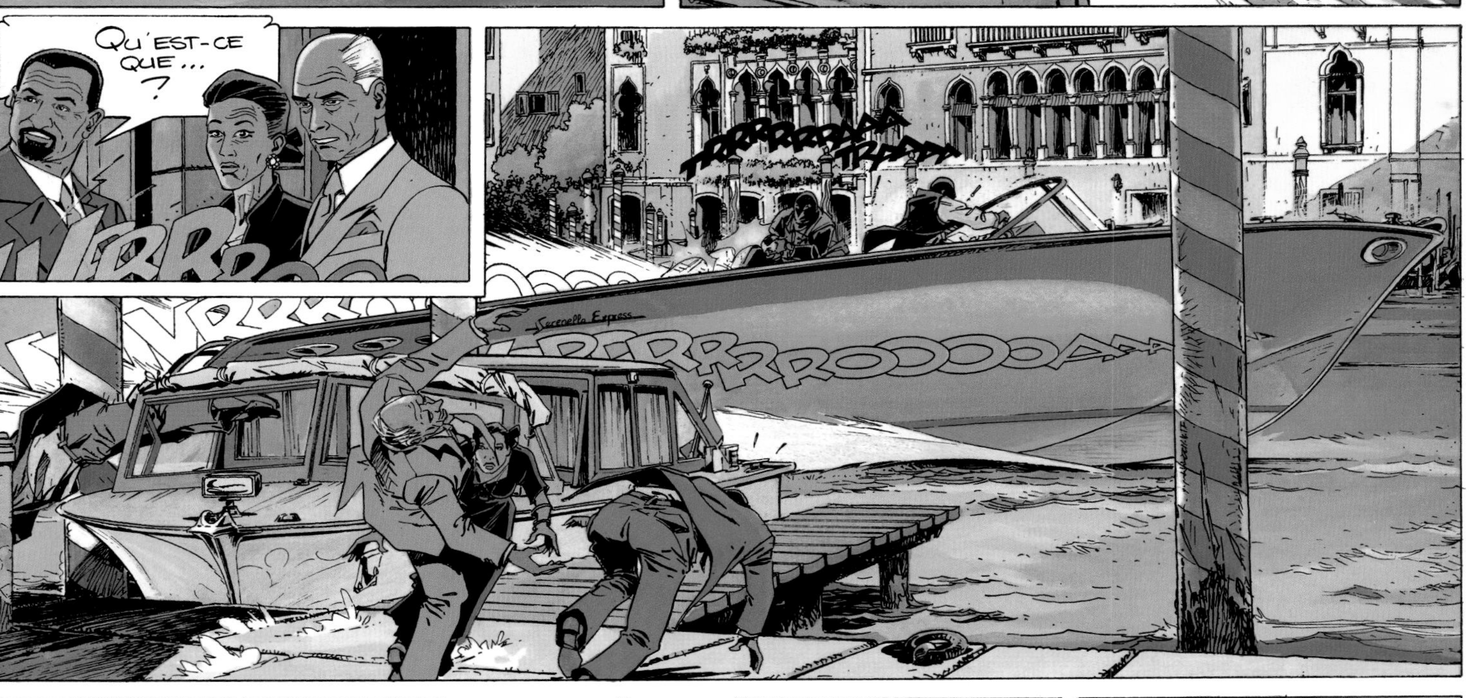
QU'EST-CE QUE... ?

LA POLICE ! APPELEZ LA POLICE !!
ALESSANDRO !... AAAAHHH

PARIS. DIMANCHE 13 SEPTEMBRE, 15 H 45.
QUAND NOUS REVERRONS-NOUS, CHARITY ?

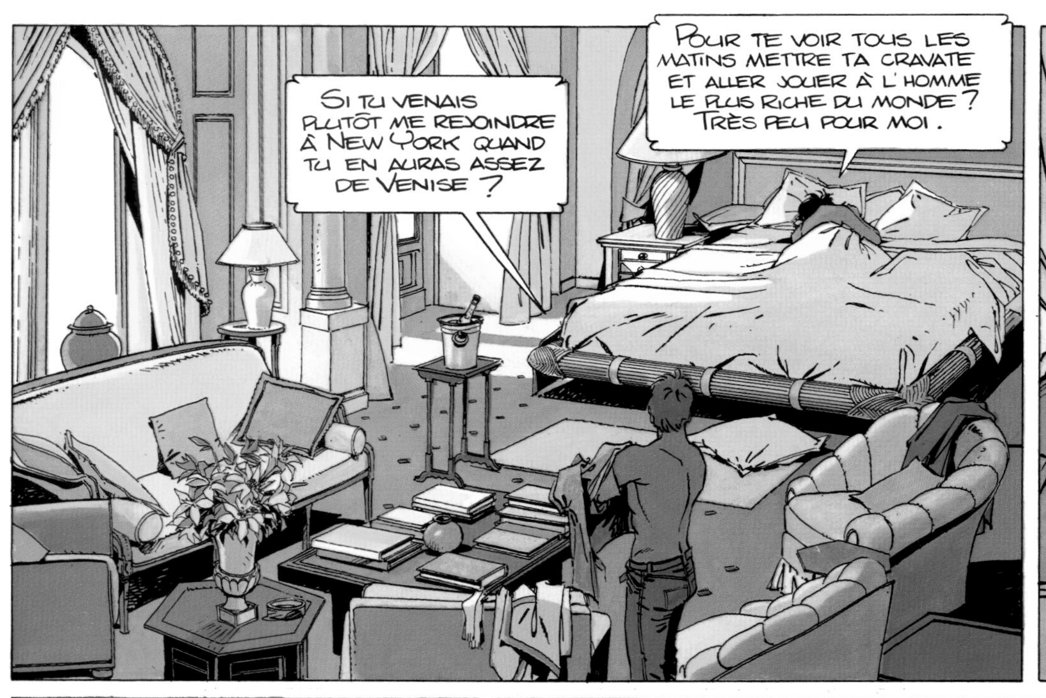

Si tu venais plutôt me rejoindre à New York quand tu en auras assez de Venise ?
Pour te voir tous les matins mettre ta cravate et aller jouer à l'homme le plus riche du monde ? Très peu pour moi.

Je ne mets jamais de cravate et tu vas me manquer
Faux ! Tu es comme le chat de Kipling, Largo, le chat qui s'en va tout seul. Tu n'as besoin de personne.
Charity ...

Tais-toi ! Il y a des siècles, je suis tombée amoureuse d'un garçon qui s'appelait Largo Winczlav. Il était sale, mouillé, affamé et avait tous les flics d'Istanbul aux trousses*, mais il était l'homme que j'attendais depuis que j'étais en âge de lire des romans-photos.

J'ai été idiote de passer ces quelques jours à Paris avec toi, Largo. J'espérais tant retrouver Largo Winczlav. Mais Largo Winczlav n'existe plus. Mon chat de gouttière d'Istanbul croule sous les dollars, il s'appelle Largo Winch et sa photo s'étale dans tous les magazines.

Fiche le camp, Largo ! Tu as un avion à prendre et moi un train. Et ils ne vont pas dans la même direction. Adieu !

Un coup de blues, Largo ?
Il y a longtemps que j'ai manqué la mienne et tu le sais. Alors, excuse-moi de ne pas m'apitoyer sur ton sort de pauvre petit garçon riche.
Tu n'as jamais l'impression d'être en train de manquer ta vie, Freddy ?

* Voir "L'Héritier".

Puis-je m'asseoir à votre table, Miss Atkinson ?
COMPAGNIA INTERNAZIONALE DELLE CARROZZE
CARROZZE RISTORANTE

Vous connaissez mon nom ?
J'avoue avoir eu l'indélicatesse de le demander au steward quand j'ai constaté que nous étions dans le même wagon-lit. Puis-je ?

Vitale d'Urso. J'espère que ma compagnie ne vous importunera pas.
Cela dépendra de la manière dont vous vous comporterez, signor d'Urso. J'ai l'impression de vous avoir déjà vu quelque part...

J'y suis : n'étiez-vous pas sur le bateau-mouche cet après-midi ?
En effet, quelle agréable coïncidence. Il semblerait donc que nos chemins étaient destinés à se recroiser.

Le steward m'a dit que vous alliez jusqu'à Venise. J'y suis né et je connais la ville mieux que ma poche. Je pourrais peut-être vous servir de guide ?
Ce ne sera pas nécessaire, signor d'Urso. L'amie qui doit m'héberger s'en chargera très bien.

Je la connais peut-être. Comment s'appelle-t-elle ?
Domenica Leone. Elle est sculpteur.
Vous permettez ?

Et moi qui croyais connaître toutes les jolies femmes de Venise... Elle est vénitienne ?
Romaine. Elle ne vit à Venise que depuis quatre ans.

...l'assassinat cet après-midi du président de la Banco di Commerzio...
SONY
Marlboro

... ALORS QU'IL QUITTAIT LE PALAZZO D'UN AMI EN COMPAGNIE DE SON ÉPOUSE ...

... A ÉTÉ REVENDIQUÉ PAR LES CELLULES COMBATTANTES RÉVOLUTIONNAIRES, ...
TOK TOK TOK

... CE GROUPUSCULE TERRORISTE QUI MULTIPLIE DEPUIS QUELQUES MOIS LES ATTENTATS CRIMINELS DANS TOUTE L'ITALIE DU NORD.
QU'EST-CE QUE C'EST ?
TOK TOK TOK

... COMME LE FIRENT DANS LES ANNÉES 80 LES BRIGADES ROUGES DE SINISTRE MÉMOIRE. LA LAGUNE A ÉTÉ IMMÉDIATEMENT CERNÉE PAR LES VEDETTES DE LA SQUADRA MOBILE, MAIS LES DEUX TUEURS EN CAGOULE, QUI ONT PRIS LA FUITE À BORD D'UN RIVA, ...
TOK TOK TOK
VOILÀ, VOILÀ, J'ARRIVE ...

KLAK

... SEMBLENT AVOIR DISPARU SANS LAISSER DE TRACES ...
VLAM
?!?

... LE COMMISSAIRE BARZINI, CHEF DE LA POLICE DE VENISE, A IMMÉDIATEMENT FAIT APPEL À LA BRIGADE ANTITERRORISTE PROVINCIALE ...
KLAK

... DONT LES HOMMES ONT ENTREPRIS DE FOUILLER SYSTÉMATIQUEMENT LA VILLE, MAIS À L'HEURE ACT...
KLIK

AU MOINDRE CRI, JE TE TRUFFE DE PLOMB, TU AS COMPRIS?
MM MMMH...
ÇA VA, CARLO, TU PEUX LA LÂCHER...

KHHH... KHHH... QU...

QUI... QUI ÊTES-VOUS? QU'EST-CE QUE VOUS VOULEZ?
ON NE PARLE QUE DE NOUS À LA RADIO DEPUIS DES HEURES ET TU ME DEMANDES QUI ON EST... TU ES IDIOTE, OU QUOI?

ECOUTE-MOI BIEN, MA POULETTE... MON COPAIN ET MOI, ON A PROVISOIREMENT DES PETITS PROBLÈMES D'INTENDANCE. TOUT CE QU'ON TE DEMANDE, C'EST LE GÎTE ET LE COUVERT POUR LA NUIT, JUSQU'À CE QUE LES CHOSES SE TASSENT UN PEU.

ET QUELQUE CHOSE ME DIT QUE LE GÎTE AURA PLUS DE CHARME QUE LE COUVERT. TU AS DÉJÀ EU DEUX HOMMES DANS TON LIT, MA POULETTE?
VA TE FAIRE METTRE, ESPÈCE DE...

NE CROIS PAS UNE SECONDE QUE J'HÉSITERAIS À TE BUTER, MA POULETTE. MAIS AVANT LA BAGATELLE, TU VAS NOUS FAIRE À BOUFFER, CAPITO?
JE... JE DOIS ME LAVER ET ME CHANGER...

BONNE IDÉE. COMME ÇA, ON AURA UN APERÇU DE LA MARCHANDISE. ELLE EST OÙ, TA CHAMBRE?
LÀ-HAUT, DANS LA MEZZANINE.
PARFAIT, ON Y VA. CARLO, TU RESTES EN BAS.

?!?
AAHH
?!?
OUCH

AAARGH!

AAH !

RAMASSE TON COPAIN, ESPÈCE D'ORDURE ET FOUTEZ LE CAMP TOUS LES DEUX !
!?

FOUTEZ LE CAMP OU JE TIRE !
DÉPOSE ÇA, MA POULETTE. TU NE SAIS MÊME PAS COMMENT ÇA MARCHE, CES TRUCS-LÀ.

MON PÈRE ÉTAIT COLONEL DES CARABINIERS, PAUVRE CLOCHE. IL M'A APPRIS À TIRER QUAND J'AVAIS DIX ANS.
KLAK

TU PRENDS LE PARI ?

D'ACCORD, MA POULETTE. MAIS TU NOUS PAIERAS ÇA. LES CCR N'OUBLIENT JAMAIS.

SLAM

13

New York,
lundi 14 septembre,
8h57.
Central Park West
1 3 A B D

Six minutes de retard, Cavanaugh !

Excusez-moi, Mrs Danton, mais le métro...
Pas mon problème. Vous savez que les chefs de service veulent les messages de la nuit sur leur bureau à 9h pile ! Au trot, Cavanaugh !

Hi, Brenda ! Tu t'es encore fait incendier par la mère supérieure, je parie ?
M'en fous ! Salut, Babe ! Comment s'est passé ton week-end ?
14

SUPER. WILLIE ET MOI, ON S'EST ÉCLATÉ À CONEY ISLAND. ET TOI ?
MOI ? SI TU CONNAIS UN MEC ASSEZ MIRO POUR VOULOIR SORTIR AVEC UNE FILLE COMME MOI, C'EST QU'IL A BESOIN DE CHANGER DE LUNETTES. CÔTÉ SEPTIÈME CIEL, JE NE RISQUE PAS L'OVERDOSE.

DÉPRIME PAS COMME ÇA, BRENDY. TU DEVRAIS T'ARRANGER UN PEU, C'EST TOUT. TU SAIS CE QU'IL M'A DIT, WILLIE ?

QU'ON SE MARIERAIT DÈS QU'IL TROUVERAIT DU BOULOT ET QUE...
!!

LARGO WINCH
LOOK OUT FOR THE DOGE
AND FOR
MISS CAVANAUGH ?

EUH... OUI ?
MARCHINI. JE VIENS D'ÊTRE TRANSFÉRÉ À L'ADMINISTRATION EUROPE-SUD. DÉSOLÉ DE VOUS BOUSCULER...

... MAIS J'ATTENDS UN FAX TERRIBLEMENT IMPORTANT D'ITALIE. VOUS PERMETTEZ ?
MAIS...

C'EST CURIEUX, IL N'Y EST PAS. VOUS ÊTES SÛRE QUE TOUS LES FAX DU WEEK-END SONT BIEN LÀ ?
EUH... OUI. TOUS CEUX EN PROVENANCE D'EUROPE, EN TOUT CAS.

DÈS QU'UN FAX ARRIVERA POUR VOUS, JE VOUS L'APPORTERAI, MONSIEUR MARCHINI.
C'EST ÇA, OUI, EXCELLENTE IDÉE. À PLUS TARD, MESDEMOISELLES.

BEAU MEC, CE MARCHINI. C'EST QUOI, CE PAPIER QUE TU CACHES DANS TON SAC ?
RIEN, RIEN...

... MA LISTE DE COURSES POUR CE SOIR.
FAX & COPIERS SERVICE

MONSIEUR A BIEN DORMI ?

MONSIEUR PRENDRA SON JUS D'ORANGE MAINTENANT OU APRÈS SA TOILETTE ?
QU'EST-CE QUE ...? QUI ÊTES-VOUS ? QU'EST-CE QUE VOUS FICHEZ LÀ ?

JE M'APPELLE TYLER, MONSIEUR. VOTRE NOUVEAU MAJORDOME, MONSIEUR.
MON... QUOI ?!?

MAJORDOME, MONSIEUR. VOTRE JUS D'ORANGE, MONSIEUR.
EXCELLENTE IDÉE. ÇA ME PERMETTRA DE ME RÉVEILLER TOUT À FAIT ET DE SORTIR DE CE RÊVE IDIOT.

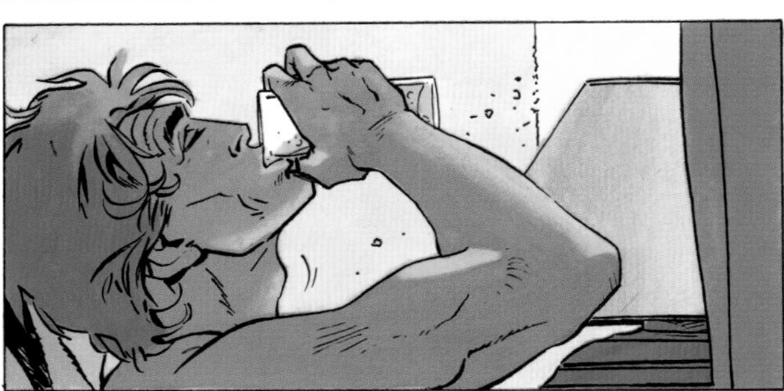

TIENS, NON, VOUS ÊTES TOUJOURS LÀ. BON, LE TEMPS DE PRENDRE UNE DOUCHE ET NOUS ALLONS AVOIR UNE PETITE CONVERSATION TOUS LES DEUX.

AHEM... MONSIEUR ...
QUOI ENCORE ?
VOS OEUFS, MONSIEUR... AU LARD, AU BACON, BROUILLÉS, EN OMELETTE OU À LA COQUE ?

SUR LE PLAT, NATURE. AVEC DE LA BAGUETTE, DU BEURRE SALÉ ET UN LITRE DE CAFÉ NOIR.
TRÈS BIEN, MONSIEUR.

ALLONS-Y TYLER. DE QUEL EMBALLAGE CADEAU SORTEZ-VOUS ?
DE LA GENTLEMEN'S GENTLEMEN SCHOOL DE REGENT STREET, MONSIEUR. LA MEILLEURE ÉCOLE DE MAJORDOMES D'ANGLETERRE, MONSIEUR.
J'EN SUIS PERSUADÉ. ET QUE DIABLE FAITES-VOUS DE CE CÔTÉ-CI DE L'ATLANTIQUE ?

J'ÉTAIS AU SERVICE DE MR ET MRS FITZBOTTOM, MONSIEUR. MONSIEUR CONNAÎT CERTAINEMENT.
FITZBOTTOM ?
LES ASSURANCES, MONSIEUR. MR ET MRS FITZBOTTOM FAISAIENT PARTIE DU TOUT NEW YORK, MONSIEUR.

BIEN ENTENDU. FAISAIENT, DITES-VOUS ?
MR ET MRS FITZBOTTOM SONT DÉCÉDÉS À HUIT JOURS D'INTERVALLE, MONSIEUR. ILS AVAIENT 89 ET 91 ANS.

OUI, ÉVIDEMMENT. ET C'EST ALORS - LAISSEZ-MOI DEVINER - QUE VOUS AVEZ RENCONTRÉ MISS PENNYWINKLE ?

EFFECTIVEMENT, MONSIEUR. AU HUMPTY DUMPTY CLUB, MONSIEUR.

VOYEZ-VOUS ÇA... CETTE CHÈRE VIEILLE PENNY DANS UNE DISCOTHÈQUE !
LE HUMPTY DUMPTY CLUB EST UN CLUB DE LOISIRS POUR RESSORTISSANTS BRITANNIQUES DES DEUX SEXES, MONSIEUR.

PAS DU TOUT UNE DISCOTHÈQUE ?

EN AUCUNE MANIÈRE, MONSIEUR.

VOUS ME RASSUREZ, TYLER. ET ENSUITE ?

MISS PENNYWINKLE M'A PARLÉ DE VOUS, MONSIEUR. ELLE DÉPLORAIT QUE VOUS NE FUSSIEZ PAS UN... AHEM...
UN GENTLEMAN ?
C'EST LE TERME QU'ELLE A EMPLOYÉ, MONSIEUR.

ET C'EST ALORS QU'ELLE A EU L'IDÉE GÉNIALE DE VOUS ENGAGER...
À L'ESSAI, MONSIEUR, À L'ESSAI.
BIEN SÛR, À L'ESSAI. AVEC POUR MISSION DE FAIRE DE MOI UN GENTLEMAN, C'EST ÇA ?

IL N'EST JAMAIS TROP TARD POUR COMMENCER, MONSIEUR. JE... J'OSE ESPÉRER QUE VOUS NE DÉSAPPROUVEREZ PAS LE CHOIX DE MISS PENNYWINKLE, MONSIEUR.
SÛREMENT PAS, TYLER. JE SUIS PERSUADÉ QUE DANS TOUT NEW YORK, ON NE POURRAIT PAS TROUVER UN MAJORDOME PLUS MAJORDOME QUE VOUS. SEULEMENT...

SEULEMENT, MONSIEUR ?...
SEULEMENT, JE CRAINS QUE CE SOIT MOI QUI NE CONVIENNE PAS, MON VIEUX.
17

ET TU N'AS PAS AVERTI LA POLICE !? TU ES FOLLE, DOMI !
SI J'AVAIS ÉTÉ VOIR LES FLICS, ILS SERAIENT TOUJOURS EN TRAIN DE M'INTERROGER...
BAH, IL Y A ENCORE DES MILLIERS DE TOURISTES EN CETTE SAISON À VENISE. ILS AURONT DU MAL À ME TROUVER. AH, NOUS Y SOMMES
HOTEL
...ET JE N'AURAIS PAS PU T'ACCUEILLIR, MA CHÉRIE. ON VERRA ÇA PLUS TARD. EN ATTENDANT, NOUS IRONS À L'HÔTEL.
MAIS CES TERRORISTES T'ONT MENACÉE ! TU ES EN DANGER !
C'EST Q JE N'AVA PAS PRÉV D'ALLER L'HÔTEL MON BUDGET ...

NE T'EN FAIS PAS POUR ÇA. LE PATRON EST UN AMI ET JE PAIE LA CHAMBRE EN NATURE.
EN NATURE !?
AVEC MES SCULPTURES, IDIOTE ! IL AIME CE QUE JE FAIS.
TAXI 297

AH, CARA MIA !... ET VOICI VOTRE CHARMANTE AMIE !...

BIENVENUE AU PALAZZO GALBA, SIGNORINA. CETTE MAISON SERA LA VÔTRE AUSSI LONGTEMPS QUE VOUS LE SOUHAITEREZ.
HEU... MERCI, MONSIEUR ...
MARINELLI. POUR VOUS SERVIR, SIGNORINA.

J'ESPÈRE QUE CETTE MODESTE CHAMBRE VOUS PLAIRA.
ELLE ME PLAÎT DÉJÀ, SIGNOR MARINELLI.

C'EST BEAU, HEIN ?
SUPERBE. JE SUIS SI HEUREUSE D'ÊTRE ICI, DOMI.

... AVEC TOI.
ET MOI, SI HEUREUSE QUE TU SOIS LÀ. SIX ANS, DÉJÀ ... TU M'AS MANQUÉ, CHARITY.

JE VAIS PRENDRE UNE DOUCHE ... TU TE SOUVIENS QUAND ON FAISAIT LE MUR POUR ALLER EN BOÎTE À LAUSANNE ?
ET LA FOIS OÙ ON A MIS DES GRENOUILLES DANS LE LIT DE LA VIEILLE SMITH ... QUELLE RIGOLADE !

ET NOS NUITS, MA CHÉRIE ? TU TÉ SOUVIENS DE NOS NUITS ?
TAIS-TOI ... OUI, JE ME SOUVIENS ...

CHARITY ...
OH, MA LIONNE ... MA LIONNE ...

JE SUPPOSE QUE TU AS UN HOMME DANS TA VIE ?
OUI ET NON. JE NE VEUX PAS EN PARLER, DOMI. PAS MAINTENANT.

TU AS RAISON. JE CROIS QUE JE VAIS PRENDRE UNE DOUCHE, MOI AUSSI.

HELLO, PENNY ! QUOI DE NEUF EN MON ABSENCE ?
BEAUCOUP DE CHOSES COMME D'HABITUDE, M. WINCH. MAIS RIEN QUE JE N'AIE PU RÉGLER AVEC MONSIEUR SULLIVAN OU AVEC M. COCHRANE.

J'EN SUIS PERSUADÉ. ET ÇA ?
QUELQUES INVITATIONS QUE J'AI SÉLECTIONNÉES. JE SAIS QUE VOUS N'AIMEZ PAS CE QUE VOUS APPELEZ LES MONDANITÉS, MAIS CERTAINES DE CES INVITATIONS ÉMANENT DE PERSONNALITÉS IMPORTANTES. VOUS DEVRIEZ AU MOINS Y JETER UN COUP D'OEIL.

PAR AILLEURS, VOUS DÉJEUNEZ À 13 H AU SALON G AVEC MONSIEUR SULLIVAN ET MONSIEUR JARAMALE.
PROMIS.
TRÈS BIEN. VOUS N'OUBLIEZ RIEN, PENNY ?

LE GRAND ESCOGRIFFE À ROUFLAQUETTES QUE J'AI TROUVÉ À CÔTÉ DE MON LIT EN ME RÉVEILLANT ... LE HUMPTY DUMPTY CLUB...
CELA... CELA M'A PARU UTILE, MONSIEUR. D'APRÈS SES RÉFÉRENCES, M. TYLER EST UN EXCELLENT MAJORDOME.

MAIS VOUS ROUGISSEZ, MA PAROLE ! PENNY, PENNY... VOTRE MERVEILLEUSE IDÉE DE M'AVOIR ENGAGÉ CE PORTE-MANTEAU AMBULANT SERAIT-ELLE EN PARTIE DICTÉE PAR DES SENTIMENTS ... PERSONNELS ?
JE... JE NE VOIS PAS DE QUOI VOUS VOULEZ PARLER, M. WINCH. EXCUSEZ-MOI, J'AI DU TRAVAIL...

SACRÉE PENNY ! BON, LES INVITATIONS, AU PANIER. TIENS, VENISE...

"S.E. LE DUC FRANCESCO II LERIDAN PRIE M. LARGO WINCH DE LUI FAIRE LA GRÂCE D'ASSISTER AU BAL MASQUÉ QU'IL DONNERA EN SON PALAIS DU GRAND CANAL LE SAMEDI 19 SEPTEMBRE..." AVEC, COMME IL SE DOIT, UNE DEMANDE DE FONDS POUR L'ASSOCIATION "SAUVER VENISE" !

UN BAL MASQUÉ À VENISE EN SEPTEMBRE, C'EST ORIGINAL. MAIS CE SERA SANS MOI, EXCELLENCE. DE TOUTE FAÇON, CES JOYEUSES RÉUNIONS DE LA JET SET NE SONT PAS MON TRUC. JE DIRAI À PENNY DE FAIRE UN VIREMENT À CETTE ASSOCIATION ET...
AHEM, M. WINCH ...

PUIS-JE DIRE À M. TYLER QU'IL PEUT CONSIDÉRER SON ENGAGEMENT COMME DÉFINITIF ?
20

Ù EN SONT LES
ÉPARATIFS DE
FÊTE, JACOPO
?
LES DÉCORATEURS ARRIVERONT DEMAIN MATIN, EXCELLENCE.
VENEZIA

C'EST BIEN. ESPÉRONS QUE CES ICONOCLASTES N'ABÎMERONT PAS TROP MES BOISERIES. COMBIEN DE RÉPONSES À NOS INVITATIONS ?

118, EXCELLENCE. DONT 76 POSITIVES.
EN DONS, CELA FAIT COMBIEN ?

HEU ...
COMBIEN, JACOPO ?
213 000 DOLLARS, EXCELLENCE.

213 000 $! ET C'EST AVEC ÇA QU'ILS VOUDRAIENT QUE JE SAUVE VENISE ... LES RUSTRES !

AVEC CETTE MISÉRABLE SOMME, JE NE POURRAIS MÊME PAS ÉTAYER LES FONDATIONS DE MON PROPRE PALAIS. QUAND JE PENSE AUX MILLIONS QU'ILS DÉPENSENT POUR SATISFAIRE LEUR SOIF DE PLAISIRS ET LEUR VANITÉ ...

DIEU MAUDISSE LES RICHES, JACOPO ! HEUREUSEMENT QUE CETTE FOIS ENCORE, IL Y EN A UN QUI PAIERA POUR LES AUTRES !

PARLER À M. WINCH ? MAIS QUI ÊTES-VOUS ?
BRENDA CAVANAUGH. JE... JE M'OCCUPE DU FAX ET DU COURRIER DE L'ADMINISTRATION EUROPE.

JE... EUH... J'AI REÇU UN MESSAGE PERSONNEL POUR M. WINCH ET...
DANS CE CAS, DONNEZ-LE À MRS DANTON QUI TRANSMETTRA. LA VOIE HIÉRARCHIQUE N'EST PAS FAITE POUR LES CHIENS, MADEMOISELLE.

NON, MAIS !...
KLAK

LA VIEILLE BIQUE !
...

"LARGO WINCH PRENEZ GARDE AU DOGE ET À..." QU'EST-CE QUE ÇA PEUT BIEN VOULOIR DIRE ?

ET PUIS ZUT, CE N'EST PAS MON PROBLÈME ! JE LE DONNERAI À LA MÈRE DANTON APRÈS LE DÉJEUNER.

NOTE QUE JE SUIS PAS SÛRE D'AVOIR ENVIE D'ÉPOUSER WILLIE. IL EST GENTIL MAIS UN PEU CON, TOUT DE MÊME. TU SAIS QU'IL NE SAIT MÊME PAS QUI EST PAMELA ANDERSON ?
MMM...

D'AUTANT QUE ÇA NE MANQUE PAS DE CÉLIBATAIRES, DANS CETTE BOÎTE. TU CROIS QUE LE NOUVEAU, LÀ, MACHI QUELQUE CHOSE, EST MARIÉ ?
MARCHINI ? JE N'EN SAIS RIEN. IL NE PORTAIT PAS D'ALLIANCE, EN TOUT CAS.
SNACK

BON, MOI, JE VAIS ALLER REGARDER LES GARS JOUER AUX CARTES À CÔTÉ. TU M'ACCOMPAGNES ?
NON, JE PRÉFÈRE ALLER FAIRE UN TOUR DANS LE PARC.
C'EST PAS COMME ÇA QUE TU TE TROUVERAS UN MEC, BRENDA. ZUT... J'AI OUBLIÉ MON ROUGE DANS LE BUREAU. TU ME PASSES LA CLÉ ?

MAIS QUE DEVIENNENT LES GRANDES COMPAGNIES PÉTROLIÈRES, DANS TOUT ÇA, LE FAMEUX CARTEL DES "SEPT SOEURS" ?

MOINS QUE JAMAIS, M. WINCH. C'EST D'AILLEURS DE CELA QUE JE VOULAIS VOUS PARLER. SI NOTRE DIVISION "PÉTROLE" VEUT SURVIVRE, NOUS ALLONS DEVOIR NOUS BATTRE.

ONT-ELLES PERDU LEUR PUISSANCE ?

IL N'Y EST PAS...

EST-CE QU'ELLE L'AURAIT DÉJÀ TRANSMIS ? CE SERAIT UNE CATASTROPHE ...

À MOINS QUE...

C'EST BIEN ÇA... OUF !

KRAK

HÉ, VOUS ÊTES FOU !?

AVEC TOUTE LA PAPERASSE QUI TRAÎNE ICI, VOUS VOULEZ FLANQUER LE FEU À LA BOÎTE, OU QUOI ?
BON SANG, RENDEZ-MOI ÇA !

UNE SECONDE... ET D'ABORD, COMMENT ÊTES-VOUS ENTRÉ ? LA PORTE ÉTAIT FERMÉE À CLÉ.
ELLE NE L'ÉTAIT PAS. VOTRE COLLÈGUE A DÛ OUBLIER DE LA FERMER. RENDEZ-MOI CE FAX, S'IL VOUS PLAÎT.

DONNEZ-MOI ÇA, NOM DE DIEU !
QU'EST-CE QU'IL A DE SI IMPORTANT CE FAX ? "LARGO WINCH, PRENEZ GARDE AU DOGE..."
?!!

ÇA VEUT DIRE QUOI, ÇA ? C'EST UN CODE ?

DONNEZ-MOI CE FAX, ESPÈCE D'IDIOTE !
DITES DONC, MACHIN, C'EST PAS PARCE QUE VOUS ÊTES BEAU GOSSE QUE VOUS POUVEZ INSULTER LES GENS, HEIN ! ET D'ABORD, CE FAX NE VOUS EST PAS ADR...

PAUVRE PETITE OIE STUPIDE !

SI TU N'AVAIS PAS LU CE MESSAGE, TU SERAIS RESTÉE EN VIE...
!??

HHHAAGRR...

ET LE PIRE, C'EST QUE JE VAIS DEVOIR TUER L'AUTRE AUSSI.

LA PRODUCTION DE PÉTROLE, ANCIENNE URSS COMPRISE, S'EST STABILISÉE DEPUIS QUINZE ANS À ENVIRON 3 MILLIARDS DE TONNES PAR AN.
25

Comment se répartit le gâteau? La Régie des pétroles Russes : 520 millions de tonnes. Les Chinois : 110. Les Français : 80. Les Sept grandes compagnies du Cartel, les fameuses "Sept Soeurs" : 1500, soit 50% du total. Restent 800 millions de tonnes produites par une mosaïque de petites compagnies indépendantes.

La principale société de production de notre division "Pétrole", la WOILCO, vient en quatrième position de ces petites compagnies, derrière la Pétrofina belge, la Getty Oil et la Phillips Petroleum.

Comme vous le savez, excepté en Amérique du Nord, toutes les réserves de pétrole ont été nationalisées. Les sociétés productrices paient donc de lourdes royalties aux États qui leur accordent des concessions. Ce sont les fameux pétrodollars.

Mais bien avant la création de l'OPEP à Téhéran en 1971, les compagnies du Cartel avaient passé l'accord secret d'Achnacarry par lequel elles se sont engagées les unes vis-à-vis des autres à ce que ces royalties ne dépassent jamais 50%. Accord qu'elles ont toujours respecté en dépit des pressions des pays pétroliers.

Qui dit accord dit organe de contrôle. Le Cartel a donc créé la C.A.S.P.E., la Cartel Agreement Secret Protection Entity, chargée de veiller au respect de cet accord et financée à égalité par les caisses noires des "Sept Soeurs".

Officiellement bien sûr, la C.A.S.P.E. n'existe pas. Vous ne verrez jamais son nom dans un rapport ou sous la plume d'un journaliste, et les compagnies du Cartel nient farouchement son existence. Car cette unité occulte ne se contente pas de surveiller les Sept. Elle a surtout été chargée d'empêcher d'autres compagnies de déroger au sacro-saint 50/50. Et cela par n'importe quel moyen.

Voyez l'affaire Mattéi, par exemple. Dans les années 60, Enrico Mattéi était sur le point d'obtenir de fabuleuses concessions au Proche-Orient pour l'ENI italienne, en offrant des royalties de 80%. Mais un jour, l'avion de Mattéi s'est mystérieusement écrasé au sol et l'ENI a disparu de l'échiquier pétrolier.

Et ce serait cette C.A.S.P.E. qui...?

Qui d'autre, M. Winch? Le Cartel n'aime pas les outsiders et la C.A.S.P.E. a pour mission de les éliminer impitoyablement. Avec les pleins pouvoirs pour utiliser, je le répète, n'importe quel moyen.

Très bien, M. Jaramale. Mais en quoi cela nous concerne-t-il?
En ceci qu'un nouvel homme a pris depuis huit mois la tête de la C.A.S.P.E. Un homme qui vous hait personnellement, M. Winch.

Cet homme, c'est celui à qui j'ai succédé à la présidence de notre division "Pétrole" Robert B. Cotton.
?
?
?

Et alors?
Je crois que vous avez commis une erreur en l'humiliant par deux fois comme vous l'avez fait, M. Winch*. Cotton est un homme redoutable.
C'est une sombre brute. M'en débarrasser était la première chose que je voulais faire en reprenant le Groupe.

*Voir "Le Groupe W" et "Business Blues".

Peut-être, mais dans la guerre du pétrole, des durs de sa trempe sont précieux. Toujours est-il que le voilà dans l'autre camp à la tête du plus redoutable organisme répressif que des groupes privés aient jamais osé créer.
Cela vous fait peur?

Oui. Et je vais vous expliquer pourquoi.

?!
Ah, Cavanaugh !!!...

La secrétaire de M. Cochrane n'a plus de papier fax. Allez lui en apporter un paquet tout de suite!
Bien, Mrs Danton.

Heu, ... Mrs Danton, j'ai reçu un fax pour...
Plus tard, Cavanaugh, je n'ai pas le temps!

Pfff... La pire chose pour une bonne femme, c'est d'avoir une autre bonne femme comme chef.

Clap

Et bien entendu, cette pétasse de Babe est en train de se faire peloter dans un coin par ...
?!..

AAAAAH !

QU'EST-CE QUE...!? C'EST VOUS QUI...?
SINCÈREMENT DÉSOLÉ, BRENDA, MAIS VOUS AVEZ TIRÉ LA MAUVAISE CARTE.

?
NOOON

FUN

THUD THUD THUD
OUPS!

FIRE EXIT

28

Comme vous le savez, les fournitures de la Woilco viennent de nos puits du Texas et de l'Oklahoma, ainsi que de nos concessions au Canada et au Venezuela.

Mais la production américaine est limitée par le gouvernement, l'extraction dans le Grand Nord canadien coûte affreusement cher et le Venezuela est en train d'achever la nationalisation verticale de son industrie pétrolière. Nous devons donc absolument trouver de nouvelles sources d'approvisionnement de brut.

Mais où? Tout le Proche-Orient, ainsi que l'Afrique, les Caraïbes et l'Amérique Latine, sont le fief jalousement gardé des compagnies du Cartel. Seuls les Français ont réussi à se tailler une petite place dans les Émirats. Alors, où chercher?

En Indonésie, messieurs! Les îles de ce pays semblent flotter sur une mer de pétrole et on y découvre chaque année de nouveaux gisements.

Vous avez obtenu une concession?

Un droit de recherche, en tout cas. Sur la côte de Macassar, entre Célèbes et Bornéo. En fait, c'est Cotton qui avait noué les premiers contacts avec les Indonésiens. Je n'ai fait que prendre la suite.

Et en cas de succès, quel serait le taux des royalties?
70%. Je n'ai pas pu obtenir moins. Mais si les gisements de Macassar sont aussi riches que nous le supposons, cela nous laisserait encore d'appréciables bénéfices.

Donc, si j'ai bien compris, la Woilco s'apprête à transgresser la loi du Cartel.
C'est évidemment le noeud du problème, Sullivan. Cotton, patron de la C.A.S.P.E., connaît d'autant mieux l'objet de mes négociations qu'il les avait lui-même entamées.

Mais la C.A.S.P.E. n'a encore rien tenté pour vous contrecarrer?
Non, et c'est bien ce qui m'inquiète. Tant que l'accord avec les Indonésiens ne sera pas signé, je m'attendrai au pire.

Heureusement, le ministre indonésien de l'énergie doit venir dans quelques jours en visite privée aux Etats-Unis. J'ai obtenu qu'il profite de ce voyage pour venir ici même concrétiser notre accord et signer la convention.

Le rendez-vous est fixé à lundi prochain, 10h. Le ministre viendra avec son ambassadeur à Washington.

J'ai cru comprendre qu'ils seraient tous deux sensibles à votre présence, M. Winch.
Euh... oui, oui. Lundi matin, 10h, c'est très bien.

À votre place, je ne m'en ferais pas trop pour Cotton, M. Jaramale, la C.A.S.P.E. et le Cartel ont d'autres chats à fouetter qu'une petite compagnie comme la Woilco.
Vous connaissez mal le monde du pétrole, M. Winch. Je crains au contraire que...

!!!
!
BOM
?!!

Je vous en supplie, aidez-moi!... Il veut me tuer!...
!?
!!

Mais, mademoiselle...
Il veut me tuer!!...

THUD
THUD
THUD

42
!
?!
!!
!!?

LA SÉCURITÉ ! ALERTEZ LA SÉCURITÉ !
LARGO, NON !
FIRE EXIT

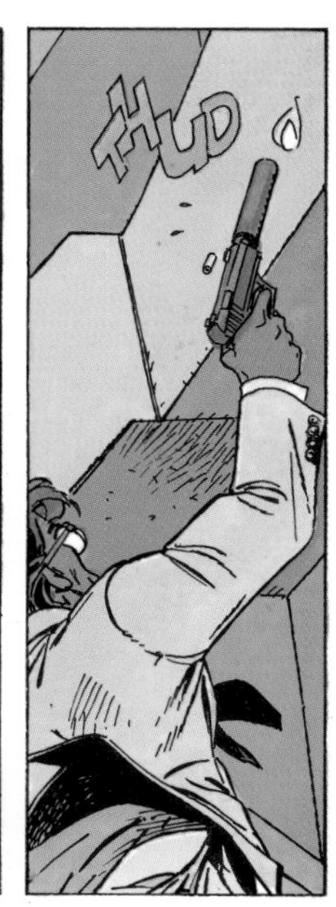
THUD

ARRÊTEZ !

LEVEL 40
AAAHH
THUD

LEVEL 40

BANG
ATTENTION !

OH, M. WINCH !... IL SE PASSE TOUJOURS DES CHOSES, TELLEMENT EXCITANTES AVEC VOUS ! QUAND EST-CE QU'ON SE REFAIT UNE PETITE VIRÉE ?
PLUS TARD, MARILYN. LÀ, JE SUIS UN PEU PRESSÉ.
Cola

AH, QUEL HOMME !...
ÇA, ON PEUT DIRE QU'UN TYPE COMME LUI, ÇA DÉCOIFFE !

BANG
BANG

ZUT !

DITES DONC, QU'EST-CE QUE C'EST QUE CE RAF...?...

???

ESPÈCE DE VOYOU ! VOUS AUREZ DE MES NOUV...
!?
!
?
?!
OUMPFF

NON, M. COCHRANE EST EN CONFÉ-RENCE ET ...

?!

LE BÉNÉFICE CONSOLIDÉ DU TROISIÈME TRIMESTRE POURRAIT DONC ÊTRE ESTIMÉ À ...
QU'EST-CE QUE C'EST !?

MARCHINI, QU'EST-CE QU'IL VOUS PREND !?
IL Y A UNE SORTIE DE SECOURS ? VITE!
L'É... L'ÉCHELLE D'INCENDIE... LA PORTE DU FOND...

WARNING
OUTSIDE LADDER FOR EMERGENCY ONLY!
DANGER

M. WINCH! J'AURAIS DÛ ME DOUTER QUE VOUS ÉTIEZ MÊLÉ À CE...
ATTENTION
?!

33

EXIT

NE FAITES PAS L'IDIOT ! L'IMMEUBLE EST BOUCLÉ ET LA POLICE EST EN ROUTE.

!
TCHING
TILING

BON SANG, ESPÈCE DE CRÉTIN, QUI'EST-CE QUI T'A PRIS !?
!?

34

TONG

KRASHHHHH
?!!
?!
?!!

QU'EST-CE QUE...?
SERGENT! REGARDEZ LÀ-HAUT!
CHEVROLET
4620

CETTE FOIS, JE NE TE RATERAI PAS, WINCH!
MAIS QUI ÊTES-VOUS ?! POURQUOI AVOIR TUÉ CETTE FILLE !?

LES CIRCONSTANCES, WINCH. UNIQUEMENT LES CIRCONSTANCES...

DOUCEMENT, MONSIEUR. VOILÀ, VOUS Y ÊTES.
TYLER ?!? QUE S'EST-IL PASSÉ !?

J'AI CRU COMPRENDRE QUE VOUS ÉTIEZ EN DIFFICULTÉ, MONSIEUR. JE ME SUIS PERMIS D'INTERVENIR.
ÇA, POUR ÊTRE INTERVENU, VOUS ÊTES INTERVENU. MAIS COMMENT AVEZ-VOUS FAIT ?

J'ÉTAIS TROP LOIN ET IL ME FALLAIT UNE ARME, MONSIEUR. EN VOYANT LES PARASOLS DE LA TERRASSE, JE ME SUIS RAPPELÉ ...AHEM... QU'AU TEMPS DE MA JEUNESSE EN ANGLETERRE, J'AVAIS GAGNÉ LE CHAMPIONNAT INTERCOLLÈGES DE LANCEMENT DU JAVELOT, MONSIEUR

Trois homicides en moins d'une heure... On dirait que les affaires reprennent, M. Winch.
Vous essayez d'être drôle, lieutenant ?

Je meurs de rire, en effet. Chaque fois que vous remettez les pieds à New York, le volume de mes heures supplémentaires bondit largement au-dessus de la normale saisonnière.
Deux de mes employées ont été tuées et un garde a été blessé, lieutenant. J'ai poursuivi leur meurtrier et Tyler n'a agi que pour me sauver la vie.

La routine, quoi! Mais je vous rappelle qu'il y a des flics pour ça, M. Winch. Quoi qu'il en soit, je veux vous voir sans faute demain matin à mon bureau, vous et votre pingouin lanceur de parasol. Je vous souhaite une mauvaise fin de journée, messieurs.
Pingouin !...

Cette pauvre fille, si j'avais su!... Je ne me le pardonnerai jamais.
Vous ne pouviez pas deviner, Penny. On a retrouvé le fax dont elle vous a parlé au téléphone ?

Non. Je n'ai trouvé aucun message qui vous était adressé, monsieur.
C'est peut-être à cause de ce fax que Marchini a tué ces malheureuses. Dans ce cas, il l'aura fait disparaître.

C'est possible, en effet. D'où venait-il, ce Marchini ?
De Milan, je crois.
Non, de Venise. Il venait d'être engagé comme stagiaire au service Europe-Sud.
Venise ? ...

Ça me fait penser... Cette pauvre jeune personne... Elle m'a dit quelque chose avant de mourir. Je n'ai pas très bien compris...
Bon sang, Jaramale, et c'est maintenant que...!? Qu'est-ce qu'elle a dit ?

« Prenez garde au doge » ... Oui, c'est bien ça : « Prenez garde au doge ».
37

DRRRR
DRRRRR
DRRRR

DRRRR
DRRRR
DRR...

QUELLE HEURE EST-IL EN EUROPE, TYLER ?
2 H DU MATIN, MONSIEUR.

BING
TRAKATA KATA
PAW PAW
REPARTIR DANS DEUX HEURES !? POUR VENISE !? JE CROIS QU'IL EST GRAND TEMPS QUE TU APPRENNES À PILOTER, MON VIEUX, CAR JE NE... [...] ... BON, BON, D'ACCORD, JE T'ENVOIE L'HÉLICO.

QU'EST-CE QUE C'EST QUE CETTE HISTOIRE DE VENISE, LARGO ?
UN MAUVAIS PRESSENTIMENT, JOHN.

MARCHINI, ORIGINAIRE DE VENISE ET FRAÎCHEMENT DÉBARQUÉ DANS LE GROUPE, N'HÉSITE PAS À TUER DEUX FILLES POUR S'EMPARER D'UN FAX QUI ME DIT DE ME MÉFIER DU DOGE. COMMENT INTERPRÉTEZ-VOUS ÇA ?
JE N'EN AI PAS LA MOINDRE IDÉE.

MOI NON PLUS. MAIS IL SE TROUVE QU'UNE DE MES AMIES TRÈS PROCHES EST ACTUELLEMENT À VENISE. ET ELLE NE RÉPOND PAS AU TÉLÉPHONE. EN PLEINE NUIT.
ELLE FAIT PEUT-ÊTRE UNE JAVA D'ENFER ?

C'EST POSSIBLE, MAIS J'EN DOUTE. À VENISE, MÊME EN CETTE SAISON, JE VOUS DÉFIE DE TROUVER UN BISTROT OUVERT APRÈS MINUIT. JE N'AIME PAS ÇA, JOHN. JE N'AIME PAS ÇA DU TOUT.
POURQUOI NE PAS DEMANDER À LA POLICE DE PRÉVENIR LEURS COLLÈGUES LÀ-BAS ET...?

NON, CATHY. DEPUIS LE TEMPS, VOUS DEVRIEZ SAVOIR QUE J'AIME RÉGLER MES AFFAIRES MOI-MÊME. IL Y A DÉJÀ EU TROIS MORTS, DONT DEUX FILLES INNOCENTES. MÊME SI MON AMIE NE COURT AUCUN DANGER, JE VEUX COMPRENDRE POURQUOI CES FILLES SONT MORTES. ET LA CLÉ DU MYSTÈRE EST À VENISE, J'EN SUIS PERSUADÉ.
AHEM, MONSIEUR...
38

MONSIEUR ME PERMETTRA-T-IL DE L'ACCOMPAGNER ? JE ... HUM ... JE N'AI JAMAIS VU VENISE ET JE POURRAI PEUT-ÊTRE ÊTRE UTILE À MONSIEUR.
ET SURTOUT, CELA VOUS ÉVITERAIT DE VOUS RETROUVER SEUL DEMAIN MATIN DEVANT UN CERTAIN LIEUTENANT DU 3e DISTRICT, HEIN ? D'ACCORD, TYLER, JE VOUS DOIS BIEN ÇA.

ET À NOTRE RETOUR, SI NOUS NOUS ENTENDONS BIEN, VOUS POURREZ ANNONCER À MISS PENNYWINKLE QUE VOUS ÊTES ENGAGÉ. VOUS FAITES REMARQUABLEMENT BIEN LES OEUFS SUR LE PLAT, J'AVAIS OUBLIÉ DE VOUS LE DIRE.
JE VOUS REMERCIE INFINIMENT, MONSIEUR. JE VAIS M'OCCUPER DES BAGAGES, MONSIEUR.

VOUS ALLEZ FAIRE UN IMMENSE PLAISIR À VOTRE SECRÉTAIRE, LARGO. DEPUIS DIX JOURS QUE TYLER EST DANS NOS MURS, MISS PENNYWINKLE EST TRANSFORMÉE.
VOUS CROYEZ QUE J'AI EU LE CHOIX ? ELLE M'A CLAIREMENT FAIT COMPRENDRE QU'ELLE ÉTAIT PRÊTE À DÉMISSIONNER SI JE NE LE GARDAIS PAS. ET VOUS SAVEZ COMME MOI QUE SI PENNYWINKLE S'EN VA, C'EST LA MORT DU GROUPE.

NOUS AVONS QUELQU'UN À VENISE, JOHN ?
JE NE CROIS PAS, NON. AH, SI, LE PRÉDÉCESSEUR DE MRS DANTON À LA TÊTE DU DÉPARTEMENT EUROPE DE L'ADMINISTRATION, PASQUALE ZORZI. IL A QUITTÉ LE GROUPE POUR OUVRIR UN RESTAURANT DE LUXE LÀ-BAS. IL CONNAÎT SÛREMENT BEAUCOUP DE MONDE À VENISE ET IL POURRA PEUT-ÊTRE VOUS ÊTRE UTILE.
ET NOTRE RENDEZ-VOUS AVEC LES INDONÉSIENS ?
CE N'EST QUE DANS UNE SEMAINE, JOHN.
JE SERAI RENTRÉ À TEMPS POUR CETTE RÉUNION, NE VOUS EN FAITES PAS.

JE M'EN FAIS, JUSTEMENT. AVEC VOUS, JE M'EN FAIS TOUJOURS. CES MEURTRES, CES COMPLOTS ... CE GENRE DE CHOSES N'ARRIVAIENT PAS ... AVANT.

CELA DOIT VOUS CHANGER DES FITZBOTTOM, PAS VRAI, TYLER ?
EN EFFET, MONSIEUR. LE SERVICE DE MONSIEUR ME SEMBLE ... COMMENT DIRE ... PLUS ANIMÉ.
38

VENISE, MARDI 15 SEPTEMBRE, 15H30.

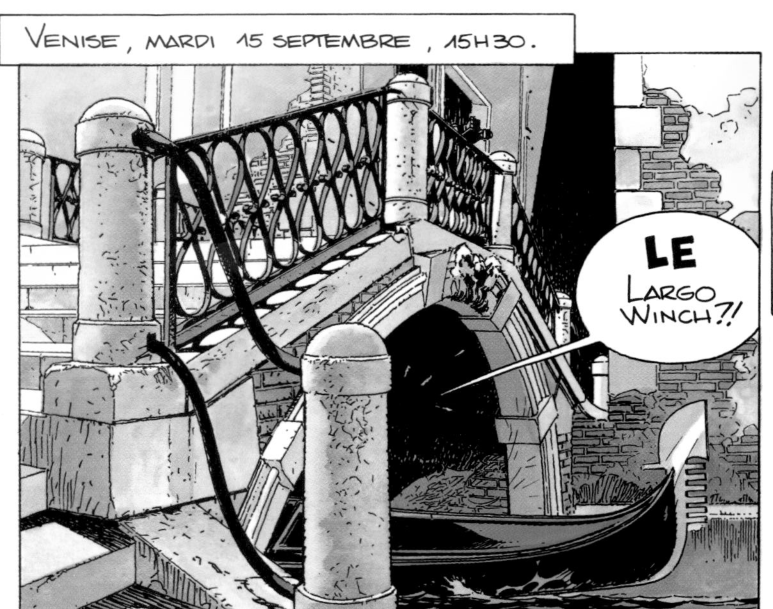

Santi Giovanni e Paolo, une des plus grandes églises de Venise...

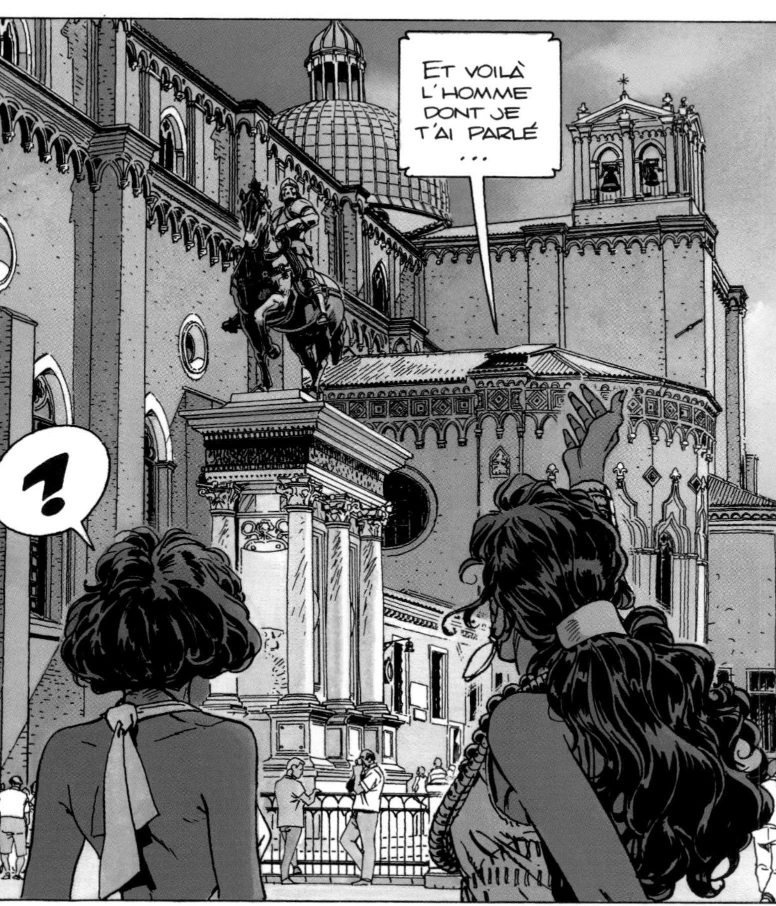
Et voilà l'homme dont je t'ai parlé...
?

Bartolomeo Colleoni, un condottiere qui s'est mis au service de la République au XVe siècle. La statue est de Verrocchio.
Regarde ce visage, Charity. Cette force, cet élan. L'homme que j'aimerai devra avoir ce regard-là.

Mais des hommes comme ça, ça n'existe us. Viens, il est l'heure d'aller prendre e thé au Florian, le must incontournable du visiteur à Venise.

AGENZIA VIAGGI-TRAVEL AGENCY
CHANGE

JE SAIS QUE C'EST TOURISTIQUE, MAIS J'ADORE CET ENDROIT. GOETHE, BYRON, GEORGE SAND, MUSSET, WAGNER... ILS Y SONT TOUS VENUS. IL PARAÎT QUE LES MIROIRS ONT PLUS DE DEUX CENTS ANS.
C'EST CE QUE J'AI LU DANS MON GUIDE.

DEUX THÉS AU RHUM ET BEAUCOUP DE GÂTEAUX, S'IL VOUS PLAÎT.
DES GÂTEAUX!? ET LA LIGNE ?

ON S'EN FICHE, DE LA LIGNE! JE SUIS HEUREUSE, CHARITY.
DOUCEMENT, DOMI, ON NOUS REGARDE.
ON S'EN FICHE AUSSI.

QU'EST-CE QU'IL Y A ?
LÀ, UN DES DEUX TYPES QUI M'ONT AGRESSÉE DANS MON ATELIER.

VIENS, ON FILE.
MAIS...
ON FILE, JE TE DIS.

TU NE FILES NULLE PART, MA POULETTE. ON T'AVAIT BIEN DIT QU'ON TE RETROUVERAIT, HEIN!?
? ?!?

TOUT LE MONDE À TERRE! LE PREMIER QUI BOUGE, JE LUI EXPLOSE LA TÊTE!!

QU'EST-CE QUE C'EST QUE CE CIRQUE !? VOUS ÊTES DANS UN ÉTABLISSEMENT RESPECTABLE, JEUNE H...

FLORIAN

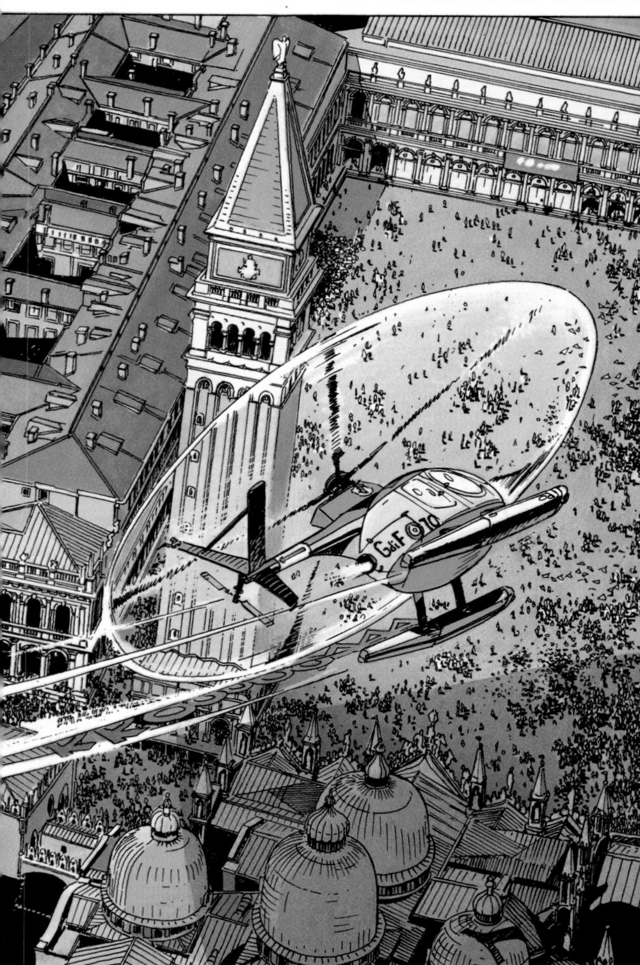

L'HÉLICO ARRIVE, ON Y VA !
QU'EST CE QU'ON FAIT DE L'AUTRE FILLE ?
ON L'EMBARQUE AUSSI.
NON, PAS CHARITY !

TA GUEULE, POULETTE ! ET TOI, AVANCE SI TU TIENS À TA PEAU !

43

GROUILLE ! GROUILLE !!

ALLEZ, MAGNE-TOI LES FESSES !

J'AI HORREUR DES TYPES GROSSIERS, ESPÈCE DE PORC !
BLINK
AAAHH

SALOPE ! TU VAS ME PAYER ÇA ...

MHH !
URGHHHH

LES FLICS !!

STOP ! STOP !
DÉCOLLE, VITE !
FLAP FLAP
ET CARLO ?
RROOO
TANT PIS POUR LUI, DÉCOLLE !
GdiF 70

HÉ ! OUUFFH... ATTENDEZ-MOI OUUFFH ...

HÉ ! ATTENDEZ-MOI !
BORRUCCOAR
KLAP

OUMPFF

PAN
BANG BANG
BANG

DÉGAGE, BON SANG, DÉGAGE !!!
PENG PENG PENG
À MOI ! À L'AIDE !
NOM DE DIEU, CARLO EST EN DESSOUS !

HHH

CHARITY...
OÙ EST CHARITY?...
ILS ONT RÉUSSI À ENLEVER VOTRE AMIE, SIGNORINA, JE REGRETTE. POUVEZ-VOUS ME DIRE CE QUI S'EST PASSÉ ?

C'EST... C'EST DE MA FAUTE. LES CCR... J'AURAIS DÛ... C'EST DE MA FAUTE...
DOMENICA LEONE ?

OUI, QU'EST-CE QUE... OH ! VOUS... VOUS ÊTES...
LARGO WINCH. ET JE SUIS ARRIVÉ TROP TARD. À UN QUART D'HEURE PRÈS, J'AURAIS PU EMPÊCHER CELA.

MAIS JE RETROUVERAI CHARITY, JE VOUS LE PROMETS. MÊME SI POUR CELA, JE DOIS ME JETER DROIT DANS LA GUEULE DU LION.

FIN DE L'ÉPISODE

PROCHAIN ÉPISODE: ...ET MOURIR.

VAN HAMME & FRANCQ 97-98
COULEUR : MARIE-PAULE ALLUARD

CONSOLIDATED CAPITAL STRUCTURE

in US$ mill.

TOTAL DEBT	10,578.6		
LT DEBT	3,853.9	LT INTEREST	443.2
Leases, uncapitalized - Annual Rentals			86.3
Minority Interest			832.0
PREFERRED STOCK	none		
COMMON STOCK	510,545,455	(par value 8.25)	

Nelson BRUNEAU CAN

FENICO
(HQ : New York)

Alicia del FERRIL ARG

HOTELS
(HQ : Paris)

Waldo BUZETTI US

TV & RADIO NETWORKS
(HQ : Los Angeles)

Dwight E. COCHRANE US

CENTRAL SURVEY & ADMINISTRATION
(HQ : New York)

WINCHAIR AIRLINES
(HQ : Nassau)

Lucie CARMICHAËL TRIN

PRESS
(HQ : New York)

Stephen G. DUNDEE US

MERCHANT FLEET
(HQ : Panama)

Sir Basil WILLIAMS U

EMPLOYEES

North America	170,322
Mid-& South America	51,451
Europe	152,027
Middle East	28,996
Far East	48,721
Australia & New Zealand	8,785
Pacific	2,021
Africa	17,740
TOTAL GROUP W	480,063